# 늑대가 들려주는
## 아기돼지 삼형제 이야기

존 셰스카 글 / 레인 스미스 그림 / 황의방 옮김

# THE TRUE STORY OF
# THE 3 LITTLE PIGS

글쓴이 **존 셰스카**(Jon Scieszka)는 작가이자 교사다. 그의 글은 장난스러우면서도 독창적인데,
특히 널리 알려진 옛이야기를 매우 기발하고 새로운 관점으로 다시 써서 명성을 얻었다.
레인 스미스와 공동 작업으로 여러 그림책을 펴냈다. 셰스카가 글을 쓴 그림책으로는, 레인 스미스가 그림을 그린
《어처구니없는 옛날 이야기 The Stinky Cheese Man and Other Fairy Stupid Tales》,
스티븐 존슨이 그림을 그린 《개구리 왕자, 그 뒷이야기》 들이 있다.

그린이 **레인 스미스**(Lane Smith)는 미국 오클라호마에서 태어났다.
1987년 《만성절 ABC The Halloween ABC》를 첫 작품으로, 《제이크, 하늘을 날다》,
《어처구니없는 옛날 이야기 The Stinky Cheese Man and Other Fairy Stupid Tales》 등 수많은 베스트셀러를 펴냈고
칼데콧 상, BIB 황금사과상 같은 권위 있는 여러 그림책 상을 받았다. 이 책 《늑대가 들려주는 아기 돼지 삼 형제 이야기》는
미국도서관협회의 '주목할 만한 책' 과 뉴욕타임스지의 '일러스트레이션이 뛰어난 10권의 책' 으로 선정되었다.
스미스의 그림책은 예측을 불허하는 자유로운 발상과 발랄한 상상력이 특징으로, 어린이뿐 아니라 청소년과 어른들에게도 사랑받고 있다.

옮긴이 **황의방**은 서울대 영어영문학과를 졸업하고 동아일보 기자, 리더스 다이제스트 한국어판 주필을 지냈다.
지금은 전문 번역가로 활동하고 있다. 옮긴 책으로 《드레퓌스 사건과 지식인》, 《마찌니 평전》, 《작은 배》 들이 있다.

세계 걸작 그림책 지크
# 늑대가 들려주는 아기 돼지 삼 형제 이야기

존 셰스카 글 / 레인 스미스 그림 / 황의방 옮김

초판 **1쇄 발행** 1996년 9월 30일 · **초판 30쇄 발행** 2007년 8월 20일
**펴낸이** 권종택 · **펴낸곳** (주)보림출판사 · **출판등록** 제406-2003-049호
주소 413-756 경기도 파주시 교하읍 문발리 출판문화정보산업단지 515-2
전화 031-955-3456 · 전송 031-955-3500 · 홈페이지 www.borimpress.com
ISBN 978-89-433-0224-5 · ISBN 978-89-433-0217-7(세트)

First published in the United States under the title THE TRUE STORY OF THE 3 LITTLE PIGS
by Jon Scieszka, illustrated by Lane Smith
Text Copyright ⓒ Jon Scieszka, 1989
Illustrations Copyright ⓒ Lane Smith, 1989
Published by arrangement with Viking, A Division of Penguin Books USA Inc.
All rights reserved.
Korean translation edition is published by arrangement with Viking Penguin,
a Division of Penguin Books USA Inc., through KCC.
Korean Translation Copyright ⓒ Borim Press, 1996

제리와 몰리에게
존 셰스카와 레인 스미스

'아기 돼지 삼형제' 이야기는 누구나 알고 있지.
아니면 적어도 알고 있다고 생각할걸.
하지만 내가 너희들에게 비밀을 하나 알려줄게.
사실은 아직 아무도 진짜 이야기는 몰라.
왜냐하면 늑대 입장에서 하는 이야기는
아무도 들은 적이 없거든.

나는 늑대야. 이름은 알렉산더 울프.

그냥 알이라고 부르기도 해.

나는 도대체 모르겠어. 커다랗고 고약한 늑대 이야기가 어떻게 처음 생겨났는지.

하지만 그건 모두 거짓말이야.

아마 우리가 먹는 음식 때문에 그런 얘기가 생긴 것 같아.

하지만 우리 늑대가 토끼나 양이나 돼지같이 귀엽고 조그만 동물을 먹는 건,

우리 잘못이 아니야. 원래 우리는 그런 동물을 먹게끔 되어 있거든. 치즈버거를

먹는다고 해서 너희를 커다랗고 고약한 사람이라고 한다면, 그게 말이 되니?

하지만 내가 지금 얘기하고 싶은 건,
커다랗고 고약한 늑대 이야기는 새빨간 거짓말이라는 거야.
진짜 이야기는 재채기와 설탕 한 컵에서 시작되었지.

# THIS IS THE REAL STORY

이것이 진짜 이야기

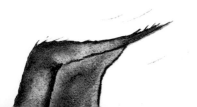

아주 오래 전에, 내가 우리 할머니
생일 케이크를 만들 때란다.
나는 아주 심한 감기에 걸려 있었지.
그때 마침 설탕이 다 떨어졌어.

그래서 나는 이웃집에 가서 설탕을 얻어 오기로 했어.

이웃집은 바로 돼지네 집이었지.

그런데 이 돼지는 머리가 좋지 않았어.

글쎄, 자기 집을 지푸라기로 지었지 뭐야.

그게 말이나 되는 얘기야?

제정신이라면 누가 지푸라기로 집을 짓겠어?

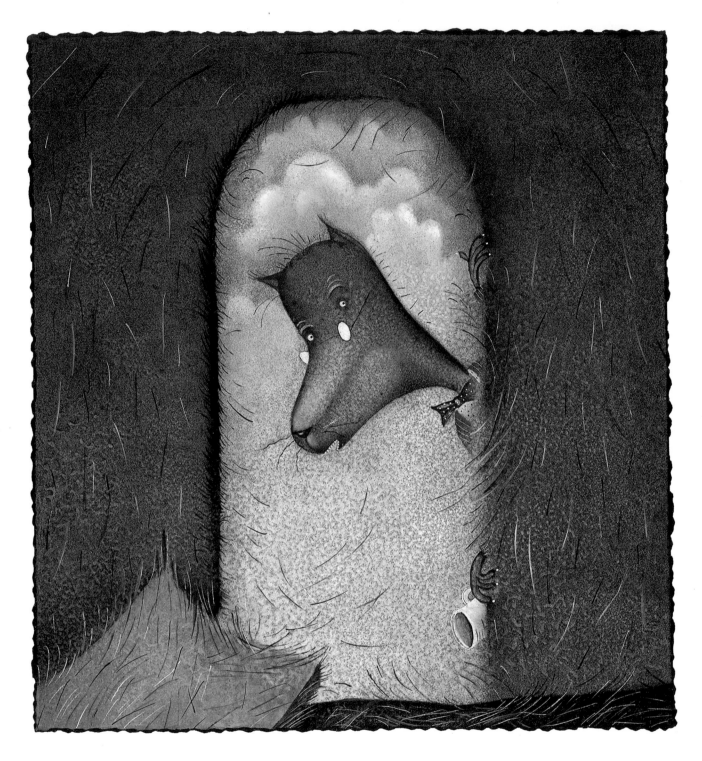

내가 문을 두드리자, 문이 그만 떨어지고 말았어. 그렇다고 남의 집에
불쑥 들어갈 수는 없잖아? 그래서 주인을 불렀지.
"아기 돼지야, 아기 돼지야, 안에 있니?" 아무 대답이 없었어.
나는 그냥 집으로 돌아가려고 했지. 우리 할머니 생일 케이크에 넣을
설탕을 얻지 못한 채로 말이야.

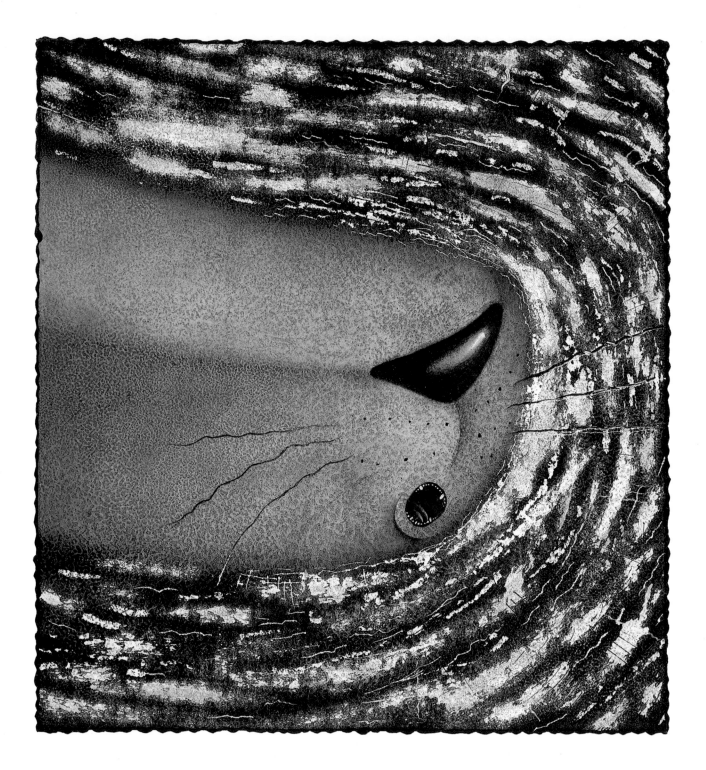

바로 그때 내 코가 근질거리기 시작했어.
재채기가 날 것 같더라고.
나는 코를 벌름거리며 숨을 들이마셨어.

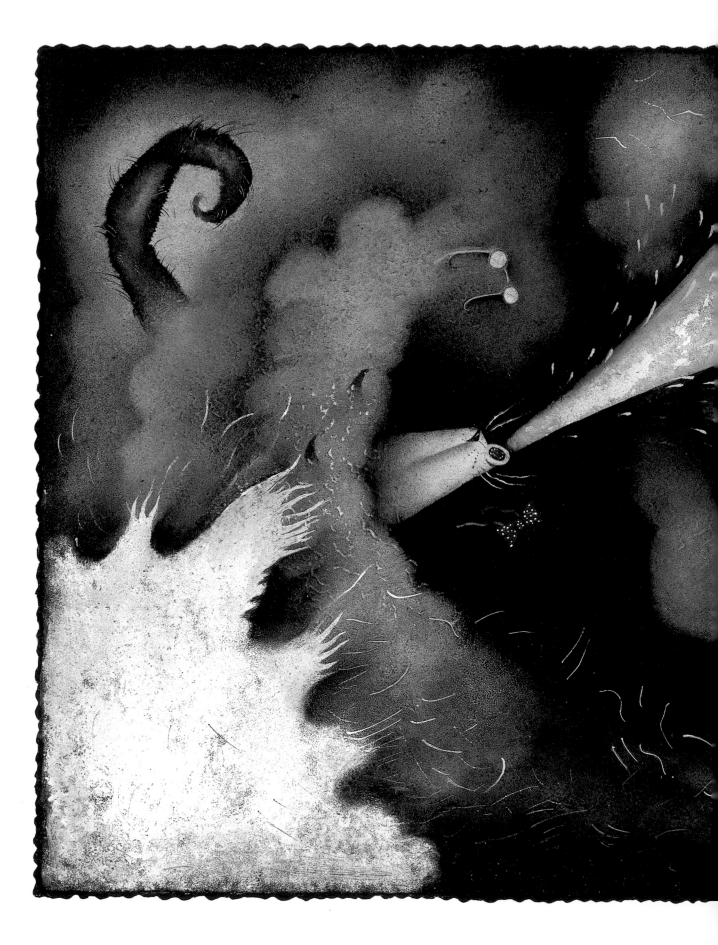

그리고는 요란하게 재채기를 했지.

그랬더니 어떻게 됐는지 아니? 그 망할 지푸라기 집이 몽땅 무너지고 말았어.
그리고 지푸라기 더미 한복판에 첫번째 아기 돼지가 있는 거야.
완전히 죽은 채로 말이야. 그 녀석은 처음부터 집에 있었던 거지.

짚더미 속에 먹음직스러운 햄이 있는데, 그냥 가는 건 어리석은 일 같았어.
그래서 내가 그걸 다 먹어버렸지.
눈 앞에 커다란 치즈버거가 있다고 생각해 봐.
너희도 그걸 그냥 내버려두진 못할걸.

나는 기분이 좀 좋아졌어. 하지만 여전히 설탕은 못 얻었잖아.
그래서 나는 그 옆집으로 갔어.
그 집은 첫번째 아기 돼지의 형네 집이었지.
이 돼지는 동생보다는 조금 낫지만 그래도 머리가 나빴어.
나뭇가지로 집을 지었더라고.

나는 나뭇가지로 만든 집의 초인종을 눌렀어.
아무 대답이 없었지.
그래서 주인을 불렀어. "돼지씨, 돼지씨, 안에 있소?"
돼지가 안에서 소리쳤어. "꺼져 버려, 이 늑대야.
넌 못 들어와. 난 지금 턱수염을 깎는 중이라고."

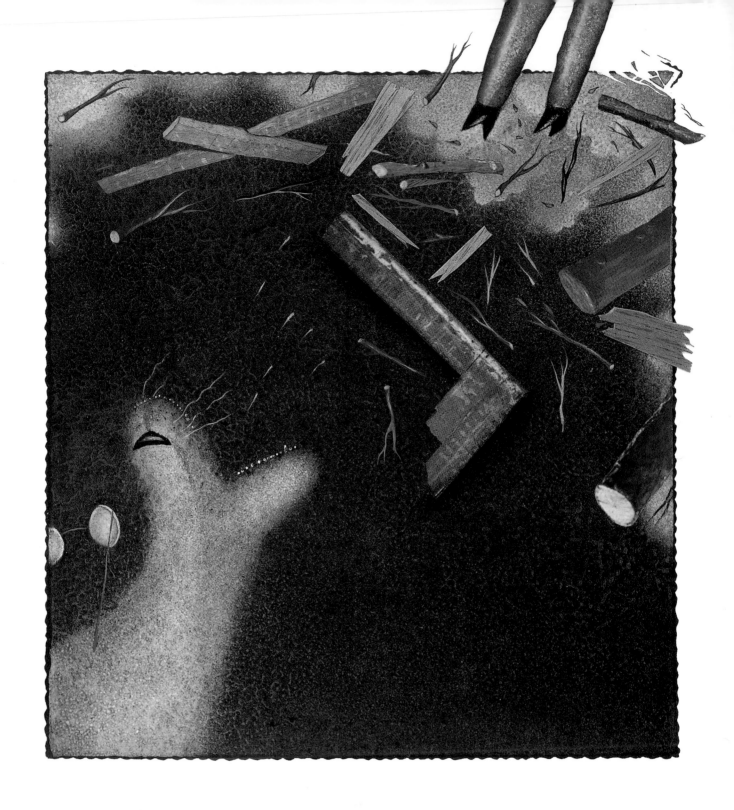

내가 막 문 손잡이를 잡았을 때, 또 재채기가 나오려는 거야.
나는 코를 벌름거리며 숨을 들이마셨어. 입을 막으려고 했지.
하지만 바로 그때 요란하게 재채기가 터져 나왔어.

믿어지지 않겠지만, 이 집도 동생네 집처럼 무너지고 말았어.
먼지가 가라앉은 다음에 보니까, 두 번째 아기 돼지가 있더라고.
역시 완전히 죽은 채로 말이야.
늑대의 명예를 걸고 하는 말인데, 이건 틀림없는 사실이야.

너희도 알지? 음식을 바깥에 그냥 놔두면

상하고 만다는 사실.

내가 할 수 있는 일은 단 한 가지,

그걸 먹어 치우는 것뿐이었어.

돼지를 두 마리나 먹고 나니까

배가 너무 불렀어.

하지만 감기는 많이 나은 것 같았지.

그래도 우리 할머니 생일 케이크에 넣을

설탕은 못 얻었잖아.

나는 다시 그 옆집으로 갔어.

이 집은 죽은 두 아기 돼지의

형네 집이었지.

이 돼지는 삼형제 중에서

가장 머리가 좋았어.

벽돌로 집을 지었더라고.

나는 벽돌집 문을 두드렸어. 아무 대답이 없었지.
그래서 주인을 불렀어. "돼지씨, 돼지씨, 안에 있소?"
그러자 그 버릇없는 녀석이 뭐라고 했는지 아니?
"꺼져 버려, 늑대야. 다시는 날 괴롭히지 마."

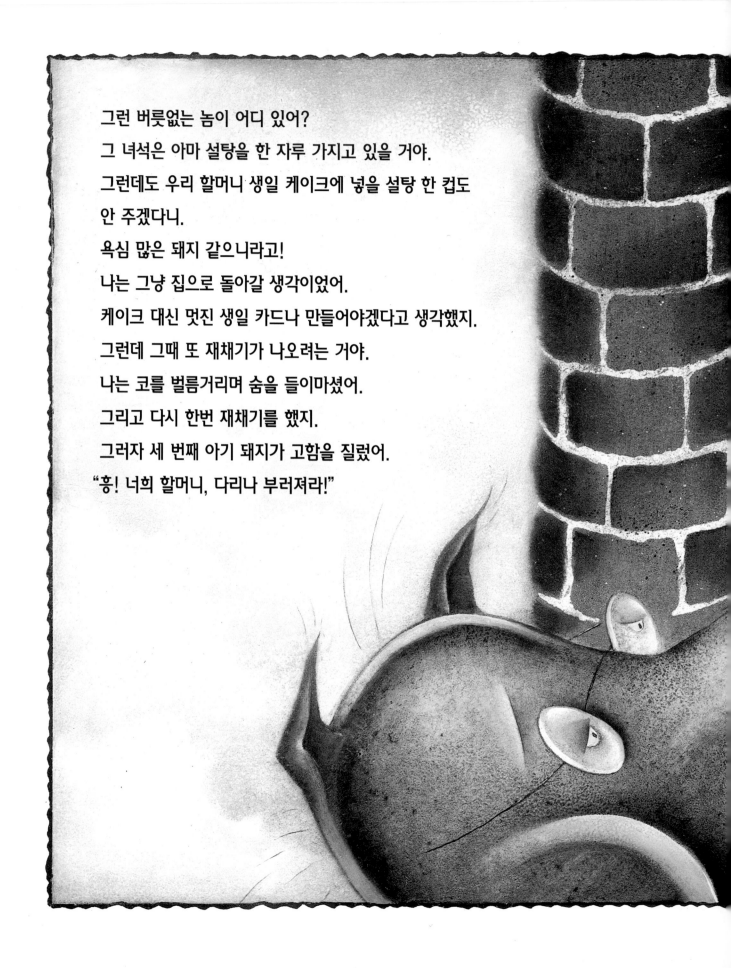

그런 버릇없는 놈이 어디 있어?

그 녀석은 아마 설탕을 한 자루 가지고 있을 거야.

그런데도 우리 할머니 생일 케이크에 넣을 설탕 한 컵도

안 주겠다니.

욕심 많은 돼지 같으니라고!

나는 그냥 집으로 돌아갈 생각이었어.

케이크 대신 멋진 생일 카드나 만들어야겠다고 생각했지.

그런데 그때 또 재채기가 나오려는 거야.

나는 코를 벌름거리며 숨을 들이마셨어.

그리고 다시 한번 재채기를 했지.

그러자 세 번째 아기 돼지가 고함을 질렀어.

"흥! 너희 할머니, 다리나 부러져라!"

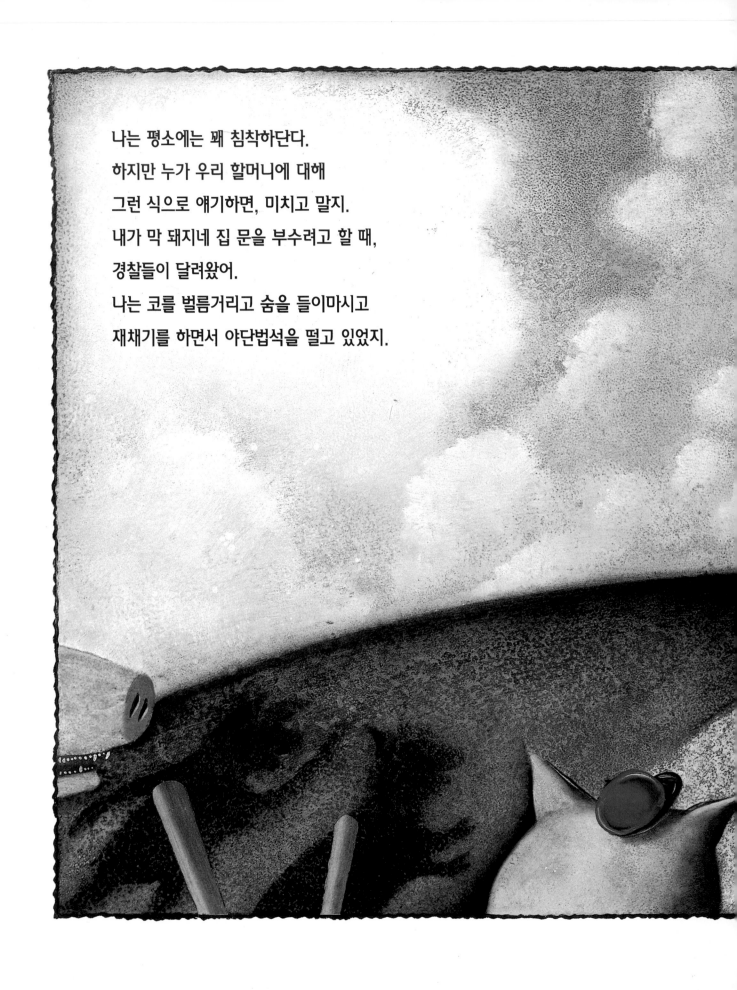

나는 평소에는 꽤 침착하단다.
하지만 누가 우리 할머니에 대해
그런 식으로 얘기하면, 미치고 말지.
내가 막 돼지네 집 문을 부수려고 할 때,
경찰들이 달려왔어.
나는 코를 벌름거리고 숨을 들이마시고
재채기를 하면서 야단법석을 떨고 있었지.

나머지는 너희가 알고 있는 대로야.

신문기자들은 내가 돼지 두 마리를
먹어 치웠다는 걸 알아냈어.

그들은 감기에 걸린 늑대가
설탕 한 컵을 얻으러 왔다는 이야기는
독자의 흥미를 끌지 못할 거라고 생각했지.
그래서 "코를 벌름거리며 숨을 들이마신 다음,
입김을 세게 불어 집을 부숴버렸다"는
이야기를 꾸며낸 거야.
나를 커다랗고 고약한 늑대로 만들었지.

이렇게 된 거야.
이게 바로 진짜 이야기지. 나는 누명을 썼다고.

하지만 너희는 나한테 설탕 한 컵쯤은 꾸어 줄 수 있겠지?